U0293475
1551820077

中华人民共和国国家标准

海底电力电缆输电工程设计规范

Code for design of submarine power cable project

GB/T 51190 - 2016

主编部门：中 国 电 力 企 业 联 合 会
批准部门：中华人民共和国住房和城乡建设部
施行日期：2 0 1 7 年 7 月 1 日

中国计划出版社

2016 北 京

中华人民共和国国家标准
海底电力电缆输电工程设计规范
GB/T 51190-2016
☆
中国计划出版社出版发行
网址：www.jhpress.com
地址：北京市西城区木樨地北里甲 11 号国宏大厦 C 座 3 层
邮政编码：100038 电话：(010) 63906433（发行部）
三河富华印刷包装有限公司印刷

850mm×1168mm 1/32 1.5 印张 35 千字
2017 年 5 月第 1 版 2017 年 5 月第 1 次印刷
☆
统一书号：155182·0077
定价：12.00 元

UDC

中华人民共和国国家标准

P

GB/T 51190－2016

海底电力电缆输电工程设计规范

Code for design of submarine power cable project

2016－10－25 发布　　2017－07－01 实施

中华人民共和国住房和城乡建设部
中华人民共和国国家质量监督检验检疫总局
联合发布

中华人民共和国住房和城乡建设部公告

第1336号

住房城乡建设部关于发布国家标准《海底电力电缆输电工程设计规范》的公告

现批准《海底电力电缆输电工程设计规范》为国家标准，编号为GB/T 51190—2016，自2017年7月1日起实施。

本规范由我部标准定额研究所组织中国计划出版社出版发行。

中华人民共和国住房和城乡建设部

2016年10月25日

前言

本规范是根据住房城乡建设部《关于印发〈2013年工程建设标准规范制订修订计划〉的通知》（建标〔2013〕6号）的要求，规范编制组经广泛调查研究，认真总结国内外海底电力电缆输电工程设计、施工及运行的经验，并在广泛征求意见的的基础上，制定本规范。

本规范共分9章，主要技术内容是：总则，术语，电缆路由，电缆型式与结构，电缆附件与附属设备，电缆敷设，电缆保护，职业健康安全与环境保护，电缆附属设施与备品备件。

本规范由住房城乡建设部负责管理，中国电力企业联合会负责日常管理，国网浙江省电力公司负责具体技术内容的解释。执行过程中如有意见或建议，请寄送国网浙江省电力公司（地址：浙江省杭州市黄龙路8号，邮政编码：310007），以供今后修订时参考。

本规范主编单位、参编单位、主要起草人和主要审查人：

主编单位：中国电力企业联合会
国网浙江省电力公司

参编单位：国网浙江省电力公司舟山供电公司
中国电力工程顾问集团中南电力设计院有限公司
中国南方电网超高压输电公司
浙江舟山海洋输电研究院有限公司
国家海洋局第二海洋研究所
中国能源建设集团广东省电力设计研究院有限公司
上海电缆研究所
宁波东方电缆股份有限公司

江苏亨通高压电缆有限公司
中天科技海缆有限公司
普睿司曼(中国)投资有限公司

主要起草人:何旭涛　宣耀伟　汪　萍　陈振新　郑　伟
郭　强　郑新龙　金文德　汪　洋　潘文林
周则威　胡文侃　余钢捷　张　良　王　瑛
来向华　敬　强　陈国志　孙建生　谢书鸿
胡　明　郑志源　邱　昊　李世强　吴海飞
胡伟东　张　磊　张　健　徐蓓蓓　卢志飞
彭维龙

主要审查人:杨荣凯　李　瑞　苗桂良　严有祥　刘阿成
鲁　斌　姜兆公　刘敦武　张振鹏　胡朝东
余　欣　李　昊

目　次

Contents

1 总 则

1.0.1 为规范海底电缆线路工程设计，做到安全可靠、先进适用、经济合理、资源节约、环境友好，制定本规范。

1.0.2 本规范适用于新建、扩建的电力工程中500kV及以下交流海底电缆线路工程设计。

1.0.3 海底电缆线路工程设计，应从实际出发，有条件时宜采用节能、环保的技术和产品。

1.0.4 海底电缆线路工程设计，除应符合本规范的规定外，尚应符合国家现行有关标准的规定。

2 术 语

2.0.1 海陆缆过渡接头(SLTJ) sea/land transition joint

设置在登陆点附近,用于连接海底电缆与陆地电缆的电缆接头。

2.0.2 锚固装置 armor device

用于固定海底电缆的装置。

2.0.3 登陆点 landing spot

海底电缆与陆地的交界点,一般在年均高潮位的向陆侧。

2.0.4 登陆段 landing section

从登陆点向海侧,水深小于5m的海底电缆路由走廊带。

2.0.5 陆上段 onshore section

从登陆点向陆上侧的海底电缆路由走廊带。

3 电 缆 路 由

3.1 路 由 选 择

3.1.1 海底电缆路由选择应综合分析工程可行性、遵循安全可靠、经济合理、利于施工及维护的原则。

3.1.2 海底电缆路由选择应综合考虑自然环境及工程地质，包括海底地形地貌、海床地质及稳定性、海洋水文气象的因素。

3.1.3 海底电缆路由选择应符合规划要求。

3.2 海域段路由

3.2.1 海域段电缆路由宜选择曲折系数小的路由。

3.2.2 海域段电缆路由宜选择海底地形平缓的海域，避开起伏急剧的地形。

3.2.3 海域段电缆路由宜选择沙质或泥质的稳定海床，避开灾害地质因素分布区。

3.2.4 海域段电缆路由宜选择水动力弱的海域，避开流速或海浪较大的海域或河道入海口。

3.2.5 海域段电缆路由宜避开自然或人工障碍物、渔业和其他作业区域以及锚地，选择少有沉锚和拖网渔船活动的海域。

3.2.6 海域段电缆路由宜选择施工运行和其他海洋开发活动相互影响最小的海域，路由宽度应充分结合建设规划需要。

3.2.7 海底电缆与工业管道之间的水平距离，可按现行国家标准《电力工程电缆设计规范》GB/T 50217 的规定执行。

3.2.8 海域段电缆路由应减少与其他管线交越情况，当不可避免时，应采取相应措施，减小相互影响。

3.2.9 平行敷设的海底电缆应避免交叉重叠，电缆间距不宜小于该处最大水深的1.2倍，登陆段间距可适当缩小，但应满足电缆载流量和保护的要求。

3.3 登陆段路由

3.3.1 登陆段电缆路由应综合考虑线路长度，选择至海缆终端距离较近的岸滩登陆。

3.3.2 登陆段电缆路由宜选择在海岸稳定、全年风浪平稳、不易被冲刷与撞击的岸滩登陆，避开裸露基岩、陡崖及大高差坡地。

3.3.3 电缆登陆点宜选择施工船可靠近，陆上宜有便于海缆作业和维护的道路。

3.3.4 登陆点应避开线缆、管道及其他设施或岸滩障碍，选择潮滩较短以及有盘留余缆区域的地点。

3.3.5 登陆段电缆路由宜避开现有和规划中的开发活动区。

3.3.6 登陆段电缆路由应避开对电缆有损害的腐蚀污染区。

3.3.7 为海底电缆登陆修建的登陆栈道或登陆堤坝应符合现行国家标准《堤防工程设计规范》GB 50286 的规定。

3.4 路由勘察

3.4.1 海底电缆路由勘察应符合现行国家标准《海底电缆管道路由勘察规范》GB/T 17502 和《海洋调查规范》GB/T 12763 的规定。

3.4.2 海底电缆路由勘察应包括海域段、登陆段、陆上段的地形、地貌等内容。

3.4.3 海底电缆路由水文勘察应包括波浪、潮汐、水温及分层流速等内容。

3.4.4 海底电缆路由地质勘察的内容宜包含土壤温度及热阻。

3.4.5 在海底电缆路由经过的海底基岩、沟槽、生物沉积带等特殊区域应提高测线密度与勘测精度。

3.5 风险评估

3.5.1 海底电缆线路的风险评估可根据工程需要选择是否进行。

3.5.2 海底电缆线路的风险评估应综合考虑自然灾害、海床冲刷及沙丘移动，沉船、落物、渔业活动、抛锚和拖锚等自然和人为因素，并应对海底电缆线路的风险进行辨识和分析，提出防护措施建议。

4 电缆型式与结构

4.1 一般要求

4.1.1 海底电缆应根据工程需要，选用挤包型式或绕包型式的绝缘。

4.1.2 海底电缆应具有径向阻水与纵向阻水的结构或措施。

4.1.3 海底电缆应具有满足使用条件的铠装结构。

4.1.4 海底电缆采用单芯电缆时，可根据运行可靠性要求和系统远期规划，增加一相备用电缆。在制造、施工和运维条件允许时，海底电缆宜采用三芯电缆。

4.1.5 海底电缆应采用整根连续生产，可包含工厂接头。

4.1.6 海底电缆的长度应综合考虑路由长度、敷设偏差、敷设附加长度、水深影响、附件安装、维护等因素。

4.1.7 当海底电缆线路长度超过60km时，不宜选用自容式充油电缆。

4.1.8 海底电缆复合光纤宜综合考虑通信和电缆状态监测的要求。

4.2 电缆导体及截面选择

4.2.1 海底电缆宜选用铜导体。条件允许时，可选用铝导体。

4.2.2 挤包聚合物绝缘海底电缆的导体应采用阻水结构。

4.2.3 海底电缆在海域段、登陆段、陆上段的导体截面均应满足系统输送容量的需要。

4.2.4 海底电缆载流量应由线路输送容量、电缆长度、电容电流、无功补偿配置和敷设条件确定。

4.2.5 海底电缆在系统额定电流作用下和发生短路时，导体最高允许温度应满足表 4.2.5 的要求。

表 4.2.5 海底电缆导体的最高允许温度(℃)

海底电力电缆		最高允许温度	
绝缘类型		持续工作	短路暂态*
自容式充油	矿物油	85	160
	合成油	90	160
交联聚乙烯		90	250
乙丙橡胶		90	250
不滴流油浸纸		1kV～6kV：80 10kV～15kV：70 20kV～35kV：65	160

注：* 短路时间不超过 5s。

4.3 电缆绝缘选择

4.3.1 海底电缆挤包聚合物绝缘型式可选用交联聚乙烯绝缘、乙丙橡胶绝缘；绕包绝缘型式可选用自容式充油纸绝缘、黏性浸渍纸绝缘。

4.3.2 海底电缆绝缘层工频耐受电压应满足系统最高工作电压的要求。

4.3.3 海底电缆绝缘层承受的雷电过电压和操作过电压应根据线路的冲击绝缘水平、避雷器保护特性、海底电缆和架空线路的波阻抗、海底电缆长度、雷击点距海底电缆终端距离进行确定。

4.4 电缆护层选择

4.4.1 海底电缆护层可包括径向防水层、加强层、防腐层、防蛀层、铠装层和外护层。

4.4.2 径向防水层宜采用金属材料，充油电缆金属防水层应能承受由于电缆内部油压变化所引起的附加作用，当金属防水层不满足内部油压时，应增加加强层。

4.4.3 三芯电缆外部铠装宜采用镀锌钢丝，单芯电缆外部铠装宜采用非磁性金属材料。铠装层应满足制造、运输、敷设和运行条件对电缆机械强度的要求，并考虑材料的腐蚀问题。当采用镀锌钢丝铠装时，应充分考虑铠装层损耗及对载流量的影响。

4.4.4 海底电缆的金属护层、加强层、回流导体、防蛀层、铠装层等金属导电层，其截面应根据短路容量、正常运行的电磁感应电流和电容电流要求、线路损耗及其对载流量的影响，经技术经济比较后确定。

5 电缆附件与附属设备

5.1 电缆终端

5.1.1 海底电缆终端装置类型应符合下列规定：

1 海底电缆与气体绝缘组合电器(GIS)设备直接相连时，应采用封闭式 GIS 电缆终端；

2 海底电缆与电器直接相连且具有整体式插接功能时，应采用可分离式(插接式)终端；

3 除本条第 1 款、第 2 款情况外，海底电缆与其他电器或导体相连时，应采用敞开式终端。

5.1.2 海底电缆终端构造类型，应根据工程可靠性、安装与维护简便和经济合理等因素综合确定，并应符合下列规定：

1 与充油电缆相连的海底电缆终端，应耐受可能的最高工作油压；

2 与 GIS 电器相连的 GIS 电缆终端，其接口应相互配合；GIS 电缆终端应具有与 GIS 绝缘气体完全隔离的密封结构；

3 在易燃、易爆等不允许有火种场所的海底电缆终端，应选用无明火作业的终端构造类型；

4 污秽或盐雾较重地区的海底电缆户外终端，应选用耐污型终端。

5.1.3 海底电缆终端绝缘特性，应符合下列规定：

1 终端的额定电压及其绝缘水平，不得低于所连接海底电缆的额定电压及其要求的绝缘水平；

2 终端的外绝缘，应符合安置处海拔高程、污秽条件所需爬电比距的要求，并按操作过电压和雷电过电压进行校核。

5.1.4 海底电缆终端的机械强度，应满足最大机械负荷和最大静态、暂态油压的联合作用。

5.1.5 海底电缆终端布置，应满足安装维修间距，并应符合电缆允许弯曲半径的伸缩节配置的要求。

5.1.6 海底电缆终端支架机械强度应满足工作条件、抗震要求以及风载荷要求，其构成方式应利于电缆及其组件安装。

5.2 电缆接头

5.2.1 海底电缆接头类型包括工厂接头、修理接头、过渡接头及塞止接头。

5.2.2 每根海底电缆宜整根连续生产，当工厂连续制造长度难以满足海底电缆线路的长度要求时，可采用工厂接头。特殊情况下可采用修理接头进行现场连接。

5.2.3 工厂接头应与海底电缆的机械和电气性能一致。

5.2.4 修理接头根据现场条件可采用软接头式修理接头和刚性修理接头。

5.2.5 修理接头应具有完善的防水密封构件和防水浇注剂灌封工艺措施，光纤复合海底电缆修理接头的整体水密封构件中应包含光纤单元接线盒，同时应做好防水浇注剂灌封处理。

5.2.6 不同类型海底电缆连接时，应采用过渡接头。

5.3 锚固

5.3.1 海底电缆可根据需要，采用锚固装置固定。

5.3.2 海底电缆的锚固装置应布置在地质稳定的浅滩、岸边或结构牢固的平台上。

5.3.3 锚固装置应能有效固定海底电缆，并应具有较强的抵御风浪冲击的能力和较好的耐海水腐蚀性能，安装与维护方便、功能可靠。

5.3.4 单芯交流海底电缆锚固夹具采用的金属材料应使用非磁性材料。

5.3.5 连接海上平台、风机等的海底电缆应采用锚固等措施固定，减少电缆磨损。

5.4 自容式充油海底电缆的供油系统

5.4.1 自容式充油海底电缆的供油系统设计可按现行行业标准《500kV 交流海底电缆线路设计技术规程》DL/T 5490 的规定执行。

5.5 过电压保护与接地

5.5.1 与架空线直接相连的海底电缆终端应设置避雷器，直接进站的海底电缆终端可根据需要设置避雷器。

5.5.2 海底电缆金属护层和铠装层在电缆线路两端宜分别引出接地线，两者相互独立，分别三相互联后直接接地。

5.5.3 单芯海底电缆防腐层应能耐受金属护层上的感应电压，电缆线路较长时，应采取措施限制金属护层上的感应电压。外护层采用绝缘材料分段接地的形式时，登陆段和陆上段金属护层上的工频感应电压不应超过 300V，海域段金属护层上的工频感应电压不宜大于 1000V。

5.5.4 当陆上段海底电缆金属护层任一点正常感应电势小于本规范第 5.5.3 条的要求时，可采用海底电缆登陆点一端直接接地，末尾一端保护接地的方式。

5.5.5 海底电缆接地体应具有耐腐蚀性能。接地体应符合电缆金属护层电磁感应电流、电容电流、短路电流动稳定和热稳定的要求，接地点应校核接触电压和跨步电压，满足相关要求。

5.5.6 海底电缆的金属护层和架空线路的架空地线在终端站（塔）宜分开接地；在条件允许时，接地体可接入终端站接地网。

5.5.7 海底电缆锚固装置金属构件和海底电缆铠装层应直接接地。

5.5.8 海底电缆线路的接地箱箱体不宜选用铁磁材料，且密封良好，必要时应允许长期浸泡。

6 电缆敷设

6.0.1 海底电缆应根据电缆特性、路由情况、施工和运行要求，采取技术可靠、经济合理的敷设方案。

6.0.2 海底电缆应根据海底地质与海洋环境明确敷设方式及对应敷设区域。

6.0.3 海底电缆敷设可包括直接敷设和开沟敷设方式。

6.0.4 敷设路由测图幅面比例与测定精度应符合现行国家标准《海底电缆管道路由勘察规范》GB 17502 的规定。

6.0.5 海底电缆敷设的其他要求可按国家现行标准《海底电力电缆输电工程施工及验收规范》GB/T 51191、《电力工程电缆设计规范》GB/T 50217 和《500kV 交流海底电缆线路设计技术规程》DL/T 5490 的规定执行。

7 电缆保护

7.1 一般规定

7.1.1 海底电缆应根据工程具体情况采取合适的保护措施和运行管理措施,降低电缆受到损害的风险。

7.1.2 海底电缆保护可包括开沟、掩埋、套管、加盖等保护方式,根据环境因素选择。

7.1.3 海底电缆运行管理防护措施应包括设置保护区、路由标示、警示牌、路由监控,同时进行保护宣传。

7.1.4 海底电缆应根据不同路由区段的风险类型和风险等级采取相应的保护措施,同时兼顾运维和检修的需要。

7.1.5 海底电缆各区域埋置深度应根据路由勘察、通航影响论证以及海床地质条件、风险程度确定。

7.2 保护要求

7.2.1 海底电缆的开沟方式包括水力冲沟、预挖沟、机械切割等方式。

7.2.2 在海底电缆存在重物下落、拖拽、移动等风险时,宜优先采用掩埋保护,其次采用压覆物加盖保护或二者结合措施。在海底电缆存在程度较轻的落物、磨损等风险时,宜优先采用套管保护措施。

7.2.3 海床坚硬、掩埋保护施工困难的区域宜采用抛石、混凝土盖板、石笼盖板等加盖保护方式。

7.2.4 加盖保护应具有良好的稳定性和抗破坏能力。

7.2.5 采用套管保护方式时,应校核电缆载流量和套管的机械强度。

7.2.6 套管保护可单独使用，也可与其他保护方式共同使用。

7.3 防护与监测

7.3.1 海底电缆路由区域应设置为保护区，禁止在保护区内进行抛锚和渔业捕捞等危害海底电缆的活动。

7.3.2 海底电缆路由两岸应设置醒目的警示装置，警示装置应在夜晚同步闪光，必要时在海面设置浮标，警示过往船只注意海底电缆的安全。发光信号应符合现行国家标准《航标灯光信号颜色》GB 12708 的规定。

7.3.3 海底电缆线路应加强保护宣传，并宜采用海面监控措施，及时阻止船只在海底电缆保护区内进行抛锚、渔业捕捞等危害海底电缆的行为。

7.3.4 重要的海底电缆线路和 110kV 及以上海底电缆线路宜采取海底电缆状态监测措施。

8 职业健康安全与环境保护

8.1 职业健康安全

8.1.1 海底电缆线路工程应满足国家规定的有关防火、防爆、防尘、防毒、防溺水及劳动安全方面的要求。

8.1.2 海上作业应注意人身安全，采取人员坠海安全保护措施；海底电缆施工船应配备救生、逃生设施。

8.1.3 海底电缆在登陆点及滩涂登陆时，针对由邻近运行中的海底电缆产生的电磁感应电压应落实好劳动安全措施。

8.1.4 水下作业人员应采取措施防止潮流、低温、生物及运行中的海底电缆引起的人身伤害。

8.2 环境保护

8.2.1 海底电缆线路工程设计应符合国家环境保护、水土保持和生态环境保护的有关法律法规的要求，减少对海洋环境的污染及破坏。

8.2.2 海底电缆线路工程设计应对电磁干扰等因素采取必要的防治措施，减少其对周围环境的影响。

8.2.3 海底电缆线路在满足工程要求情况下，应优先采用对海洋环境影响小的的工程材料。

8.2.4 自容式充油海底电缆的绝缘油应符合现行国家标准《绝缘液体 以合成芳烃为基的未使用过的绝缘液体》GB/T 21221 和《交流 500kV 及以下纸或聚丙烯复合纸绝缘金属套充油电缆及附件 第 2 部分：交流 500kV 及以下纸绝缘铅套充油电缆》GB/T 9326.2 附录 A 的规定。

9 电缆附属设施与备品备件

9.0.1 设置于变电站和发电设施之外的海底电缆终端宜设置专用的围墙式终端站或与架空线相连的终端塔，海缆终端区设置可按现行行业标准《110kV及以下海底电力电缆线路验收规范》DL/T 1279的规定执行。

9.0.2 海底电缆终端处应预留至少可以制作两个终端的电缆长度，余缆宜采用类似Ω形、S形或“8”字形盘绕，余缆盘绕的弯曲半径宜大于海底电缆的弯曲半径要求，终端处余缆长度应满足表9.0.2的要求。

表9.0.2 海底电缆终端处余缆长度

额定电压(kV)	10	20～35	110	220	500
海底电缆余缆长度(m)	≥4	≥8	≥10	≥15	≥20

9.0.3 海底电缆与平台设备等刚性连接时，在弯曲部位宜采用支撑件防止弯曲应力过度集中。当采用J形保护管，应在管口予以封堵，防止海水与海洋生物的侵蚀。当垂直保护管较长时，应采用措施防止电缆与管壁在风浪作用下发生摩擦碰撞。

9.0.4 海底电缆运行维护应考虑备品备件，其型式和数量应根据电力系统要求、海域使用情况、事故故障率、投资造价等因素确定。

9.0.5 海底电缆备品备件应储存在清洁、干燥、宽敞、易取放的专用地方，有特殊存放环境要求的，应按产品要求储存。

本规范用词说明

1 为便于在执行本规范条文时区别对待，对要求严格程度不同的用词说明如下：

1）表示很严格，非这样做不可的：

正面词采用“必须”，反面词采用“严禁”；

2）表示严格，在正常情况下均应这样做的：

正面词采用“应”，反面词采用“不应”或“不得”；

3）表示允许稍有选择，在条件许可时首先应这样做的：

正面词采用“宜”，反面词采用“不宜”；

4）表示有选择，在一定条件下可以这样做的，采用“可”。

2 条文中指明应按其他有关标准执行的写法为：“应符合……的规定”或“应按……执行”。

引用标准名录

《电力工程电缆设计规范》GB/T 50217

《堤防工程设计规范》GB 50286

《海底电力电缆输电工程施工及验收规范》GB/T 51191

《交流 500kV 及以下纸或聚丙烯复合纸绝缘金属套充油电缆及附件　第 2 部分:交流 500kV 及以下纸绝缘铅套充油电缆》GB/T 9326.2

《航标灯光信号颜色》GB 12708

《海洋调查规范》GB/T 12763

《海底电缆管道路由勘察规范》GB/T 17502

《绝缘液体　以合成芳烃为基的未使用过的绝缘液体》GB/T 21221

《110kV 及以下海底电力电缆线路验收规范》DL/T 1279

《500kV 交流海底电缆线路设计技术规程》DL/T 5490

中华人民共和国国家标准

海底电力电缆输电工程设计规范

GB/T 51190 - 2016

条 文 说 明

编 制 说 明

《海底电力电缆输电工程设计规范》GB/T 51190—2016，经住房城乡建设部2016年10月25日以公告1336号批准发布。

本规范制定过程中，编制组进行了深入细致的调查研究，总结了舟山群岛乃至我国沿海各地的海底电缆工程经验。

为便于广大设计、施工、科研、学校等单位有关人员在使用本规范时能正确理解和执行条文规定，《海底电力电缆输电工程设计规范》编制组按章、节、条顺序编写了本规范的条文说明，对条文规定的目的、依据以及执行中需注意的有关事项进行了说明。但是，本条文说明不具备与标准正文同等的法律效力，仅供使用者作为理解和把握标准规定的参考。

目　次

1 总　　则

1.0.1 本条明确了本标准的原则性目标，提出对海底电缆线路工程设计的基本要求。

3 电缆路由

3.1 路由选择

3.1.1 海底电缆路由选择应从安全、经济、相互影响较小的角度出发，流程一般包含路由初选、桌面论证、路由勘察、环境评估、审查批准等阶段。

3.2 海域段路由

3.2.1 从工程经济性考虑，海域段电缆路由宜选择曲折系数小的路由，此类路由长度相对短，拐点较少。但对于存在交越困难或施工难度大的路段，应从建设周期及其他因素考虑，不应简单地视路径最短为经济。

3.2.2 海域段电缆路由的选择应建立在详细勘测的基础上，选择海床平缓的海域，避开坡度较大的地形。在国外海缆敷设工程的报道中，出现过埋设犁经过坡度为17°的沙丘时发生侧翻的情况。

3.2.3 海底电缆路由选择沙质或泥质的海床，便于开沟敷设。当海底电缆路由经过火山带、浅层气及古河谷埋藏地带的经济性相当明显时，在条件合适的情况下，如地质稳定、浅层气埋藏较深、电缆仅在海床表面敷设或埋置较浅时，经综合论证后也可考虑选择性通过。

3.2.6 海底电缆路由应与海洋功能区、海洋开发活动及规划相适应，使其相互影响最小，路由宽度宜考虑远期规划的需要。

3.2.9 海底电缆间距主要是为了满足施工、维护及保护邻近海底电缆的需要。当走锚时，避免伤及相邻电缆以限制事故扩大。合适的海底电缆间距能使运行更安全，也利于后期打捞维护。依据现行国家标准《电力工程电缆设计规范》GB/T 50217—2007规定水底电缆平行敷设时的间距不宜小于平均最大水深的1.2倍。国家现行标准《电气装置安装工程电缆线路施工及验收规范》GB 50168—2006、《城市电力电缆线路设计技术规定》DL/T 5221—2005及《电力电缆及通道运维规程》Q/GDW 1512—2014中均规定水底电缆平行敷设时的间距不宜小于最高水位水深的2倍。建议在具体引用时,考虑海域廊道的紧张程度,当廊道资源丰富时,可适当放宽电缆间距。但从节约海洋路由资源考虑,应不断探索缩小海底电缆间距的技术措施。

3.4 路由勘察

3.4.1 海底电缆路由勘察在符合现行国家标准《海底电缆管道路由勘察规范》GB/T 17502和《海洋调查规范》GB/T 12763的情况下,也应满足勘察合同的技术要求。

3.4.2 海底电缆路由勘察应包括海域段、登陆段、陆上段的地形、地貌等内容。海域段路由制图比例不宜小于1∶5000,登陆段、陆上段路由制图比例不宜小于1∶1000。

3.4.4 在地热活跃地带、土壤成分不明或是大容量海底电缆线路工程设计时,地质勘察应包含海底土壤温度及热阻系数等内容。

3.4.5 在海底电缆路由经过的海底基岩、冲刷沟槽、生物沉积带等特殊区域应加大测线密度与勘测精度,冲刷地带应参考海床历史变化情况。

3.5 风险评估

3.5.1 海底电缆可视工程的重要性、施工与运行对环境的影响、环境及周边设施对电缆本体的影响等,有选择地进行风险评估。充油绝缘海底电缆因绝缘油的泄漏对环境有影响,故充油绝缘海底电缆宜进行风险评估。

4 电缆型式与结构

4.1 一 般 要 求

4.1.1 海缆电缆的绝缘可选用挤包聚合物绝缘电缆、自容式充油电缆等。挤包聚合物绝缘又可分为聚乙烯绝缘、交联聚乙烯绝缘、乙丙橡胶绝缘三种。交联聚乙烯绝缘的使用温度高，介质损耗低，后期维护便利，综合运行成本较低，在条件适合时，在220kV及以下电压等级的海底电缆可优先采用该种绝缘型式。目前交联聚乙烯绝缘交流海底电缆的最高电压等级为2006年投运的加拿大伍尔夫岛风电场的420kV，更高电压等级500kV交联聚乙烯绝缘海底电缆也将于2018年在舟山群岛海域应用。乙丙橡胶具有优良的抗水树性能，但因其价格相对较高，可视条件选用。自容式充油绝缘海底电缆的使用历史相对悠久，经验成熟，目前多用于500kV超高压海底电缆，如加拿大与温哥华525kV交流海底电缆线路和我国海南岛的500kV交流海底电缆联网工程。黏性浸渍纸绝缘的使用温度相对较低，已被交联聚乙烯所取代，因此本规范不推荐采用此绝缘型式。

4.1.2 挤包聚合物绝缘海底电缆的纵向阻水一般采用阻水膨胀材料设置于导体间和防水护层下，径向防水护层一般采用铅、铝、铜以及聚合物材料。充油绝缘电缆和黏性浸渍纸绝缘电缆具有全密封防水性能，且金属密封层内部已经充满绝缘油，水分无法进入，不需要采取附加的纵向阻水措施。

4.1.3 铠装是海底电缆重要的结构，提供机械保护和纵向张力。非磁性材料铠装一般采用青铜、黄铜、铜或硬铝合金，磁性材料铠装多数情况下采用低碳钢。低碳钢在单芯交流电缆中产生的磁滞与涡流损耗会造成电能损失，由此产生的热量也会降低海底电缆的输送能力，但因其在价格与纵向张力上的优势，宜在三芯电缆上采用，单芯电缆选用应进行经济性比选。

4.1.4 备用海底电缆一般与施工同步进行敷设，当任意一相运行的海底电缆发生故障时，备用海底电缆可以立即投入使用。

4.1.5 一般海底电缆应采用整根连续生产，超过制作长度时，两根之间采用工厂接头接续。

4.1.6 海底电缆的长度应依据敷设路由的实测长度，并考虑水深、地质、地形起伏、敷设方式造成船位偏移及其他因素（如水文气象条件）的影响而需要增加的附加长度，来最终确定，宜留有充足的余量。制造长度参照现行行业标准《500kV 交流海底电缆线路设计技术规定》DL/T 5490—2014 中第 4.1.3 条，海域段海底电缆敷设附加长度可参照《电力电缆施工手册》（李宗廷等编著，2002 年版），附加长度参见表 1。

表 1　海域段海底电缆敷设附加长度

路由长度（km）	抛敷施工附加长度（%）*	边敷设、边埋深附加长度（%）*
<1	5～10	3～5
1～3	4～7	2～4
>3	3～5	2～3

注：* 此处百分数以路由长度为基数。

4.1.7 从实际工程情况看，充油电缆的最大长度为 30km～60km。1987 年建于舟山群岛的我国第一条 100kV 直流充油海底电缆长度 5.5km，最大水深 95m；1995 年西班牙—摩洛哥项目使用 400kV 充油海底电缆，线路长度 26.2km，最大水深 615m；2010 年海南岛 500kV 交流充油海底电缆长度 31km，最大水深 110m。对于更长的距离，无法保证电缆内足够的绝缘油流量。只有绝缘油的黏度和热膨胀系数较低，或运行温度较低时，才能满足更长距离的使用。

4.1.8 目前海底电缆复合光缆一般为两种形式，一是海底电缆内置复合光纤单元，二是海底电缆外与电缆绑扎固定的附加光缆。

第一种形式的总体成本较低，施工便利，但光纤维护不便；第二种形式的成本稍高，同时增加了海底电缆敷设工作量，但光纤维护相对方便。两种形式可视情况选用。海底电缆的光纤除用作通信外，还可作为温度、振动、应力等运行状态的监测。海底电缆内置复合光缆有时会因受力异常而造成光纤断裂，因此用于光纤继电保护等重要用途时，不宜由内置复合光缆独立承担。

4.2 电缆导体及截面选择

4.2.1 海底电缆宜选用铜导体。但在技术上有充分保证的前提下，为节约投资也可选用铝导体。

4.2.2 挤包聚合物绝缘海底电缆的分层绞合导体应采用阻水粉、阻水带等阻水措施。考虑阻水效果，海底电缆大截面导体一般不采用分割型式。

4.2.4 海底电缆最大持续工作电流由线路输送容量确定。线路输送容量包含有功分量和无功分量，随着电缆长度的增加，其电容电流会随之增大，影响其有功分量的输送。因此需在适当位置采用适量的无功补偿，以相对经济的方式实现远距离电力输送。同时，海底电缆敷设环境的热阻也是影响工作电流的重要因素。

4.3 电缆绝缘选择

4.3.1 海底电缆的绝缘型式应从技术与经济两方面进行选择，宜采用挤包聚合物绝缘。

4.3.3 对于连接架空线路的海底电缆，其绝缘层雷电冲击和操作冲击耐受电压应根据线路的冲击绝缘水平、避雷器的保护特性、海底电缆及架空线路的波阻抗、海底电缆长度、雷击点距海底电缆终端的距离等因素综合确定。其中，冲击绝缘水平表征海底电缆相连的架空线路的耐雷水平，决定侵入架空线—海缆系统的雷电流水平；避雷器是防止幅值过高的雷电过电压波和操作过电压波侵入海缆的重要手段，其保护特性不仅需考虑由陆地段线路侵入的雷电过电压波和操作过电压波，还需考虑过电压波在海缆中折反射引起的幅值叠加的影响；海底电缆和架空线路的波阻抗决定了雷电过电压波和操作过电压波在电缆终端处的折反射系数；海底电缆长度和雷击点距海底电缆终端的距离则决定了过电压波在架空段和海底电缆段的衰减系数。对于海底电缆绝缘层所承受的雷电过电压和操作过电压的计算，目前尚无相关标准，一般需要进行暂态过电压的数值模拟。对于两端不连接架空线路、直接站对站的电缆线路而言，可以仅考虑其操作冲击耐受电压。

4.4 电缆护层选择

4.4.1 防蛀层一般用于“蛀船虫”存在的海域海底电缆中，多采用铜或黄铜带阻止其侵蚀。加强层一般用于增强充油电缆金属防水层抵御内部油压的能力。

4.4.2 径向防水层多数情况下采用金属材料。对具备防水能力且绝缘电气强度裕度较大的中压电缆或乙丙橡胶绝缘电缆，其防水层可以不采用金属结构，而采用更为简单的护层设计。

4.4.3 从经济性考虑，三芯电缆外部铠装宜采用镀锌钢丝，单芯电缆外部铠装宜采用非磁性金属材料。铠装的设计应依据海底电缆张力要求、外部危害形式和保护要求选择确定。铠装材料应采用防腐材料或做好防腐保护措施。

5 电缆附件与附属设备

5.2 电缆接头

5.2.2 一般认为，海底电缆接头是海底电缆的薄弱环节，因此海底电缆线路一般要求每根海底电缆整根连续生产，整条电缆应该在一个连续的过程中生产制造。仅在工厂制造能力不能满足海底电缆线路长度要求或生产过程中出现突发事故情况下，允许使用工厂接头，不允许使用维修接头。

在某些特殊情况下，如海底电缆运输和敷设船不能满足海底电缆线路长度要求，海底电缆施工和运行过程中出现海底电缆损伤，或出于工期和造价考虑采用小型施工船或分段施工等情况，可采用维修接头进行海底电缆连接。

5.2.6 过渡接头根据现场条件可采用软接头式过渡接头或刚性接头式过渡接头。

5.3 锚 固

5.3.1 设置锚固装置是为了防止海底电缆受力下滑和碰撞，连带电缆终端电气设备受力，使事故扩大。外力包括电缆自重、潮流冲击、沙坡迁移和船锚钩拽。需要采用锚固的区域一般为海上平台、风力发电机和存在锚害隐患的沿岸。当海床对电缆的摩擦阻力大于下滑力或电缆纵向拉力时，即海底电缆受拖拽后不会影响电缆终端时，可不采用锚固装置。

5.4 自容式充油海底电缆的供油系统

5.4.1 海域部分的电缆，随着深度的增加，水压也随之增加，内部油压与外部水压呈线性增长关系。参照现行国家标准《交流

500kV 及以下纸或聚丙烯复合纸绝缘金属套充油电缆及附件》GB/T 9326.2—2014 中第 5.2 节油压范围的规定，应使海域中电缆最低处的油压与其外部水压差大于 0.02MPa，小于最高稳态油压为宜。

5.5 过电压保护与接地

5.5.2 海底电缆线路的金属护层在电缆线路两端需要三相互联后直接接地，铠装层也是如此。但金属护层和铠装层是否需要连接在一起，应根据工程的实际条件来确定。

5.5.3 金属护层工频感应电压由工频电磁感应电压和工频静电感应电压组成。

工频电磁感应电压由线芯电流产生的交变磁场与金属护层交链感应产生，其大小与电缆长度及线芯电流成正比，在未采取接地措施时，最大值出现在海底电缆两端。工频静电感应电压由电容电流在金属护层上形成，其幅值随着线路电压、阻抗、长度的增大而增大，最大值出现在海底电缆中间。两种电压存在相位差，该差值主要由负荷功率因数决定。对于长约 45km 的 500kV 交流海底电缆，经测算两种感应电压叠加后，海缆两端电磁感应电压的最大值不超过 50V，海缆中间静电感应电压的最大值不超过 1000V。如南方电网与海南电网联网跨越琼州海峡长度 31km 的 500kV 海底电缆，工频感应电压的最大值为 490V（约每 8km 金属护层和铠装层短接一次）。

若海底电缆全线金属护层工频感应电压均要求不大于 300V，则会使金属护层和铠装层的短接过于频繁（或采用更低电阻率的金属铠装层），增加了制造难度和成本。结合工程实际，海域段金属护层的工频感应电压最大值设为 1000V 是适宜的。

6 电缆敷设

6.0.1 海底电缆敷设方案还应根据使用条件和电缆型式进行选择,如水平电缆转盘作业的海缆敷设船,就不适合敷设有反向绞制层的海底电缆。

7 电缆保护

7.1 一般规定

7.1.2 海底电缆的保护可以与敷设同时进行，如边敷边埋方式；也可在敷设完成之后进行，如加盖保护、浅水区段的套管保护，具体视水文环境与施工机具条件而定。在航道与捕捞区的海底电缆一般以开沟结合掩埋的方式为主，加盖保护方式为辅。

7.2 保护要求

7.2.1 海底电缆的开沟方式多采用水力冲沟这种较为经济的方式，在登陆段浅滩多采用水力冲沟结合预挖沟再敷设电缆的作业方式，在硬底质区段多采用机械切割方式。

8 职业健康安全与环境保护

8.2 环境保护

8.2.3 对于金属护层采用铅合金的海底电缆,在金属护层外应有与土壤和海水隔离的保护层。

9 电缆附属设施与备品备件

9.0.1 海底电缆线路附属设施一般指电缆线路附属装置及其部件，包括电缆终端站、接地装置、供油装置、保护设施、监控设施、警示装置、电缆隧道、电缆竖井、排管、工井、电缆沟、电缆桥架等。

9.0.4 备品备件一般指对电缆本体及附属设施易损器件及工具的储备，如抢修用海底电缆、电缆终端、避雷器、运行维护检修工具、交通工具等。

统一书号：155182·0077

定　　价：12.00 元